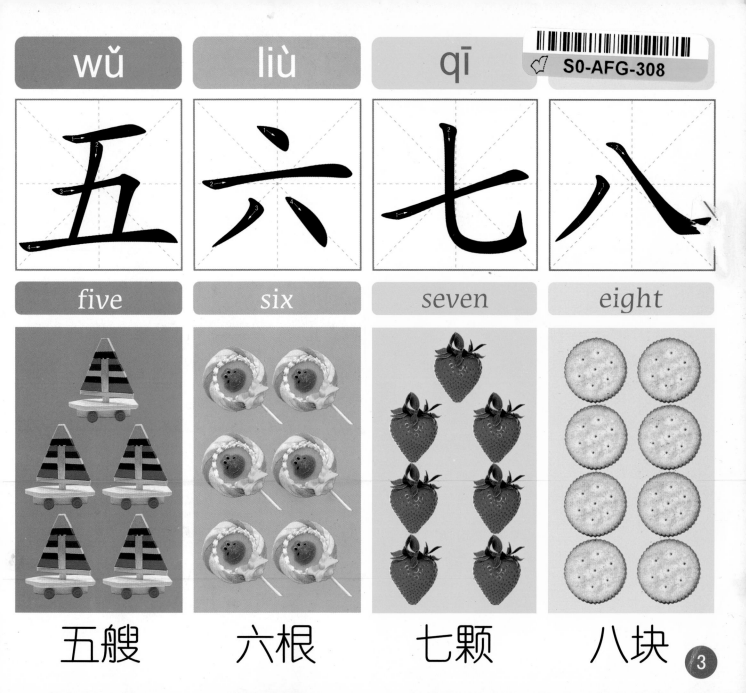

wǔ	liù	qī	
five	six	seven	eight
五艘	六根	七颗	八块

3

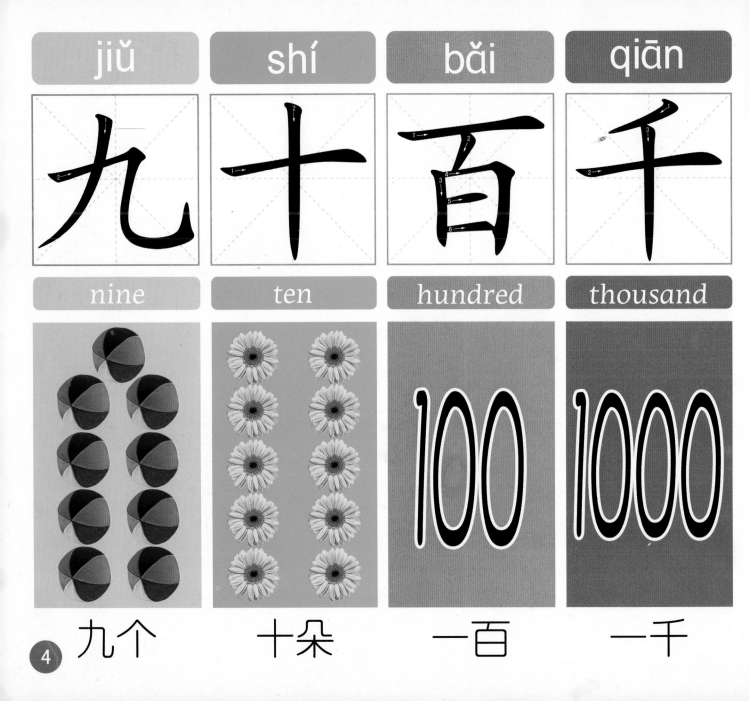

jiǔ	shí	bǎi	qiān
九	十	百	千
nine	ten	hundred	thousand

九个　　十朵　　一百　　一千

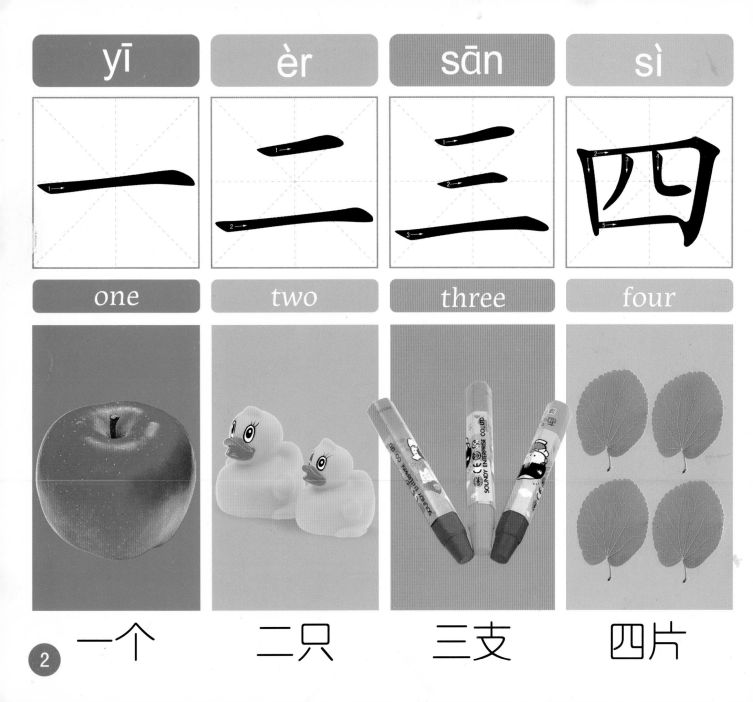

yī	èr	sān	sì
一	二	三	四
one	two	three	four

一个　二只　三支　四片

青苹果 我的第一本识字书

幼儿识字

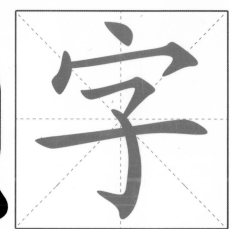

幼儿教育专家倾力推荐

三

轻

1

北方妇女儿童出版社

rì	yuè	shuǐ	huǒ
日	月	水	火
sun	moon	water	fire

日出　月亮　河水　篝火

5

shān	shí	tián	tǔ
山	石	田	土
mountain	stone	field	soil

高山	石头	田野	土地

6

fēng	yǔ	léi	diàn
风	雨	雷	电
wind	rain	thunder	lightning

| 刮风 | 下雨 | 打雷 | 闪电 |

tiān	dì	xīng	yún
天	地	星	云
sky	earth	star	cloud

天空　　大地　　星空　　白云

jiāng	hé	hú	hǎi
江	河	湖	海
river	river	lake	sea
大江	小河	湖面	大海

pù	làng	xī	quán

waterfall	*wave*	*rivulet*	*spring*

瀑布	海浪	小溪	泉水

chūn	xià	qiū	dōng
春	夏	秋	冬
spring	summer	autumn	winter

春天　盛夏　深秋　寒冬

11

dōng	xī	nán	běi
			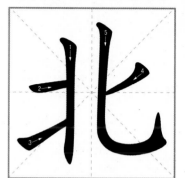
east	west	south	north

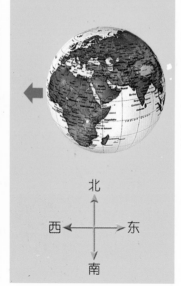

| 东方 | 西方 | 南方 | 北方 |

shàng	xià	zuǒ	yòu

up	down	left	right

上面	下面	左手	右手

13

qián	hòu	lǐ	wài
			外
front	behind	inside	outside

前面	后面	里面	外面

dà	xiǎo	duō	shǎo

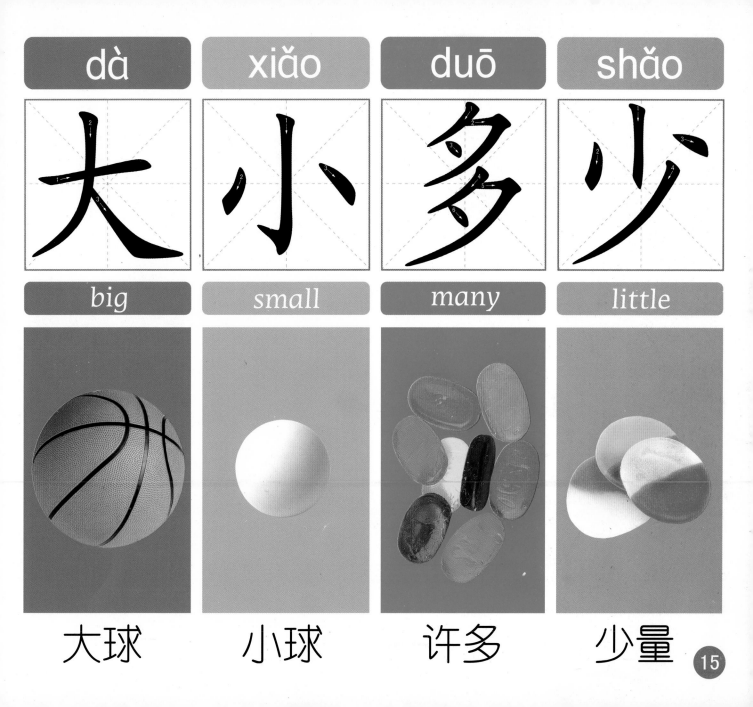

big	small	many	little

大球	小球	许多	少量

15

cháng	duǎn	cū	xì
长	短	粗	细
long	short	thick	thin

长度　　短小　　粗大　　纤细

yuǎn	jìn	gāo	ǎi

far	near	tall	low

远处　　近处　　高楼　　低矮

jìn	chū	kāi	guān
进	出	开	关
enter	exit	open	close

进入　　出去　　打开　　关闭

18

dān	shuāng	báo	hòu
单	双	薄	厚
single	double	thin	thick

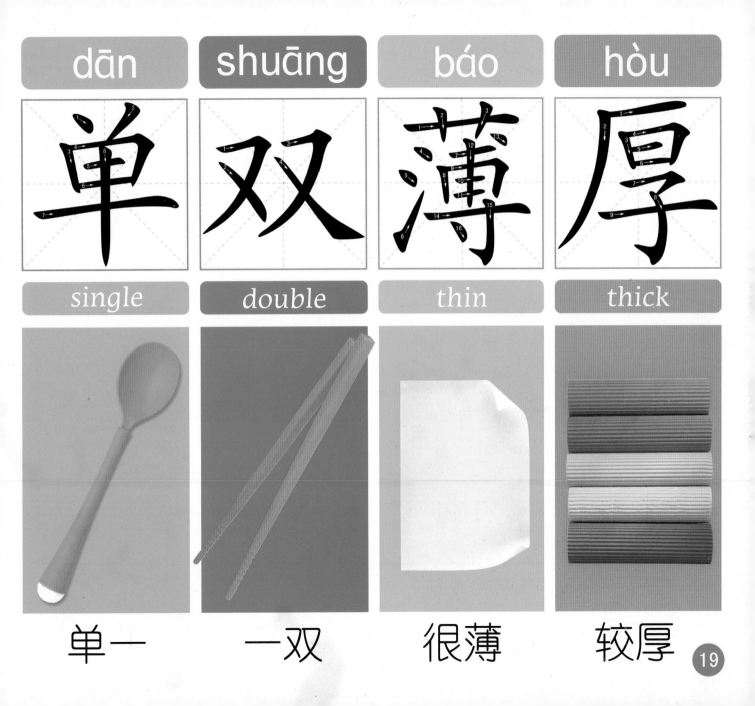

单一　　　一双　　　很薄　　　较厚

kōng	mǎn	qīng	zhòng

empty	full	light	heavy

空桶　　装满　　轻巧　　沉重

fāng	yuán	kuài	màn

square	round	fast	slow

方形　　　　圆球　　　　快速　　　　缓慢

21

suān	tián	kǔ	là
酸	甜	苦	辣
acid	sweet	bitter	hot

酸奶	甜点	苦瓜	辣椒

kū	xiào	xǐ	nù
哭	笑	喜	怒 
cry	smile	happy	anger

哭泣 微笑 喜悦 愤怒

我的第一本识字书

图书在版编目（ＣＩＰ）数据

幼儿识字.1 / 孙杰编著. —长春：北方妇女儿童出版社，2008.7
（青苹果我的第一本识字书）
ISBN 978-7-5385-3239-5

Ⅰ．幼… Ⅱ．孙… Ⅲ．识字课—学前教育—教学参考资料 Ⅳ.G613.2

中国版本图书馆 CIP 数据核字 (2008) 第 091932 号

幼儿识字 ①

编　著	孙　杰
责任编辑	佟子华
出版发行	北方妇女儿童出版社
	（地址：长春市人民大街4646号 邮编：130021）
印　刷	吉林省吉育印业有限公司
	（地址：长春市经济技术开发区深圳街935号 邮编：130033）
开　本	889×1194　1/24
印　张	3
字　数	1 千字
版　次	2008 年 7 月第 1 版
印　次	2008 年 7 月第 1 次印刷
书　号	ISBN 978-7-5385-3239-5
定　价	15.00 元（全 3 册）

质量服务承诺：如发现缺页、错页、倒装等质量问题，可向印刷厂更换。

总策划：许革青　陈松田　　封面设计：袁丁

幼儿教育专家温馨提示

这套读物用鲜活的色彩推开了孩子的心灵，用逼真的图片敲醒了孩子求知的欲望，用图文并茂的形式让孩子知道这个世界里都有什么。为此，我相信，孩子们会在快乐的识字中认识物体、熟悉动物、了解植物等，这将为他们语言发展与思维能力提高奠定基础。

国际心理学会会员
中国心理学会理事
全国教育心理学会专业委员会副主任

ISBN 978-7-5385-3239-5

9 787538 532395 >

本册定价：5.00 元